Lire, écrire, faire des calculs simples,

cela paraît naturel pour tout le monde, et pourtant 2 500 000 personnes sont encore privées
de ces savoirs essentiels alors qu'elles ont été scolarisées dans notre pays. Ces personnes n'osent pas avouer leurs difficultés, elles sont
souvent gênées mais évitent d'en parler à leur entourage. Aujourd'hui, des solutions existent et on peut réapprendre quel que soit son âge.
Pour aider ces personnes à faire le premier pas et leur redonner confiance en leurs capacités, la lutte contre l'illettrisme a été déclarée
grande cause nationale. *L'Histoire du lion qui ne savait pas compter* nous aide à comprendre que le calcul comme la lecture et l'écriture
sont sources de liberté. Sa publication contribue à changer nos représentations et participe à la mobilisation de tous ceux qui s'engagent
pour que l'illettrisme poursuive son recul.

Hervé Fernandez
Directeur de l'Agence nationale de lutte contre l'illettrisme
www.anlci.gouv.fr

Texte français de Géraldine Elschner

Ce texte de Martin Baltscheit a déjà fait l'objet d'une première publication
sous le titre original « Die Geschichte vom Löwen, der nicht bis 3 zählen konnte ».
© 2012 Beltz & Gelberg
in der Verlagsgruppe Beltz · Weinheim Basel
© 2012 Martin Baltscheit

© 2013, Éditions Glénat.
Couvent Sainte-Cécile, 37 rue Servan, 38000 Grenoble, France.
Loi 49956 du 16 juillet 1949 sur les publications destinées à la jeunesse.
Tous droits réservés pour tous pays.
Dépôt légal : août 2013
ISBN : 978-2-7234-9589-9
Achevé d'imprimer en Espagne en juillet 2013 par INDICE S.L.,
sur papier provenant de forêts gérées de manière durable.

L'histoire du Lion qui ne savait pas compter

Martin **Baltscheit**

Colonel **Moutarde**

p'titGlénat

Il était une fois un lion à la crinière rousse qui ne savait pas compter jusqu'à 3.
Mais ça lui était bien égal, car il savait rugir et montrer les dents. Et pour un lion, c'est bien suffisant.

Un jour, il vit arriver un autre lion, très beau, et qui portait un bouquet de roses.

Mais les roses n'étaient pas pour
le lion. Elles étaient pour la lionne.

Celle-ci remercia l'inconnu et, ni une ni deux, l'embrassa.

Le lion à la crinière rousse n'avait pas compté là-dessus.

– Jamais deux sans trois, lui dit un petit blondinet de papillon. Tu ne sais pas compter jusque-là ?

– Non. À quoi bon ?

Entre-temps, l'autre lion avait mis ses fleurs dans un vase. Il multipliait les compliments et récitait un poème à la lionne. Écrit de sa patte, et appris par cœur.

Le lion à la crinière rousse regarda la lionne. Il l'entendit rire et ronronner. Rire encore et encore. Ronronner deux fois plus fort.

Alors il se mit en route pour dénicher quelqu'un qui savait compter jusqu'à 3.

Pour commencer, il demanda à la licorne :
– Eh, dis-moi, tu sais compter jusqu'à 3 ?
Aussi droite et majestueuse que les plus vieux arbres de la forêt, la créature murmura :
– Il n'y en a pas deux comme moi, pas la peine d'aller jusqu'à 3 !
« N'importe quoi ! » se dit le lion.
Il continua sa route et demanda aux cygnes
s'ils en savaient plus.

Les cygnes nageaient en rond sans dire un mot, admirant leur reflet sur l'eau.

À sa question, ils répondirent en chœur :
– Je compte sur lui, il compte sur moi.
Nous faisons la paire, pas besoin de 3 !
« N'importe quoi », se dit à nouveau le lion,
et il partit dans la montagne retrouver
un vieil ami.

Mais son ami le suricate n'avait pas le temps.

– Avec seulement 3 pains, je n'irais pas loin ! Ils mangent comme 4, mes gamins !

– N'importe quoi ! soupira le lion.

Et sans attendre son reste, il détala.

Sur son chemin, il finit par trouver quelqu'un qui s'y connaissait bien en nombres.

– Coucou ! s'écria l'oiseau. Oh, 3, c'est passé depuis longtemps ! Je sonne 5 heures en ce moment. Et si ma belle ne rentre pas, je hurlerai comme un putois !
– N'importe quoi !
Au dernier coup, le coucou disparut derrière sa porte, sans plus se préoccuper du lion.

En fin de journée, l'heure était à la fête.
– Tu peux me dire comment compter jusqu'à 3 ? demanda le lion.
La taupe partagea son gâteau d'anniversaire en 6 belles parts égales.
– Chez moi, c'est 6 ou rien, un morceau pour chacun !
Miam !
Ils jouèrent à pigeon vole et à chat perché, et le lion gagna deux beaux ballons et une toupie.

Plus tard, le ver luisant fit la preuve de son savoir-faire en matière de calcul.
– Pendant 7 longues nuits, j'éclaire ces demoiselles. Elles sont fort nombreuses, compte leurs ailes : elles en ont plus que 3 !

– N'importe quoi !
Le lion n'avait pas de feu clignotant, ni derrière ni devant. Et les filles qui brillent, il n'en avait que faire.

Au fond de l'eau,
une pieuvre chantonnait :
« 8 bras : parfait pour bien serrer
celui qui adore être bercé ! »
– N'importe quoi !

Cette fois, le lion alla poser
sa question à quelqu'un
qu'il admirait beaucoup.

Mais le champion toutes catégories dit seulement :
– Aucune idée, microbe ! Je sais juste qu'avant 9, faut se relever !
Sinon, c'est tant pis pour tes pieds : à 10, tu es éliminé.

En fin de compte, le lion retrouva le papillon, qui lui dit :
– Additionner, multiplier, tu peux faire ce que tu voudras,
tu finiras par tomber sur 3.
Il était une fois, elle + lui + toi...

Le lion ne voyait toujours pas où il voulait en venir.
– N'importe qu...

À cet instant, une voix l'interpella.

– Alors, le roi du calcul, tu veux
encore un petit poème ?

« Ajoutez un nouveau lion,
soustrayez le vieux bougon.
3 – 1 = 2. Quel beau résultat !
L'andouille qui s'en va, c'est toi ! »

Le lion à la crinière rousse dit alors :
– Viens par là, j'ai un petit compte à régler avec toi.
Les deux lions s'enfoncèrent dans la savane, le papillon fila s'abriter.

Au bout d'un moment, il n'en revint qu'un seul...

– Et alors, qu'est-ce que tu lui as raconté ?
lui demanda la belle lionne.

– Je lui ai prouvé par A + B et en 3D
que deux ça va, mais trois, bonjour les dégâts !
répondit le lion.
La lionne lui sourit, lui donna
un petit coup de museau et partit
avec lui.
Il lui conte fleurette depuis.

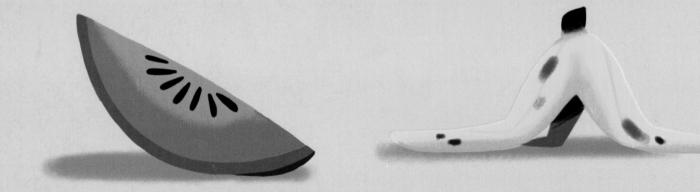